Course de chars à Olympie

L'auteur : Mary Pope Osborne a écrit plus de quarante livres pour la jeunesse, récompensés par de nombreux prix. Elle vit à New York avec son mari, Will, et Bailey, un petit terrier à poils longs. Tous trois aiment retrouver le calme de la nature, dans leur chalet en Pennsylvanie.

L'illustrateur : Philippe Masson, né à Rennes en 1965, est issu d'une famille de marins bretons. Actuellement, il vit à Tours avec son amie et ses deux enfants, Lucas et Mona. Il réalise également les dessins de la série Le château magique aux Éditions Bayard Jeunesse.

À Chase Goddard, qui adore lire.

Titre original : *Hour of the Olympics*
© Texte, 1998, Mary Pope Osborne.
Publié avec l'autorisation de Random House Children's Books,
un département de Random House, Inc., New York, New York, USA.
Tous droits réservés.
Reproduction même partielle interdite.
© 2005, Bayard Éditions Jeunesse
© 2003, Bayard Éditions Jeunesse pour la traduction française
et les illustrations.

Conception et réalisation de la maquette : Isabelle Southgate.
Colorisation de la couverture ; illustrations de l'arbre, de la cabane
et de l'échelle : Paul Siraudeau.

Loi n° 49 956 du 16 juillet 1949
sur les publications destinées à la jeunesse.
Dépôt légal : 4e trimestre 2005 – ISBN 13 : 978-2-7470-1844-9
Imprimé en Allemagne par Clausen & Bosse

Course de chars à Olympie

Mary Pope Osborne

Traduit et adapté de l'américain
par Marie-Hélène Delval

Illustré par Philippe Masson

SEPTIÈME ÉDITION
BAYARD JEUNESSE

L é a

Prénom : Léa

Âge : sept ans

Domicile : près du bois de Belleville

Caractère : espiègle et curieuse

Signes particuliers : ne manque jamais
une occasion d'entraîner son frère Tom
dans des aventures mouvementées,
sans se soucier du danger.

Tom

Prénom : Tom

Âge : neuf ans

Domicile : près du bois de Belleville

Caractère : studieux et sérieux

Signes particuliers : aime beaucoup
les livres, qui l'aident à se sortir
de situations périlleuses.

Les sept premiers
voyages de Tom et Léa

Tom et Léa ont découvert dans le bois de Belleville, perchée en haut d'un chêne, une cabane pleine de livres. C'est une

cabane magique !

Elle appartient à la fée Morgane, une magicienne et une célèbre bibliothécaire qui voyage à travers le temps et l'espace pour rassembler des livres.

Nos deux jeunes héros ont déjà vécu des **aventures extraordinaires !** Il leur suffit d'ouvrir un livre, de poser le doigt sur une image en souhaitant se trouver à l'endroit représenté, et ils y sont aussitôt transportés !

Au cours de leurs trois dernières aventures, Tom et Léa ont dû affronter de multiples **dangers** pour trouver trois objets et délivrer la fée Morgane, à qui Merlin avait jeté un mauvais sort !

Souviens-toi...

Les enfants ont failli se faire dévorer par un crocodile sur le fleuve Amazone !

Vêtus de drôles de combinaisons, ils ont rencontré l'homme de la Lune.

Tom et Léa sont montés sur le dos d'un gigantesque mammouth.

Nouvelle mission :

rapporter de précieux livres !

La fée Morgane confie à Tom et Léa une importante mission : récupérer, pour sa bibliothèque, **quatre livres** qui risquent de disparaître à jamais. Pour cela, nos deux héros doivent remonter le temps.

Seront-ils **assez malins et courageux** ?
Arriveront-ils à sauver ces livres pour la fée
Morgane avant qu'ils ne soient détruits ?

 Lis vite les quatre nouveaux
« Cabane Magique » !

★ N° 8 ★
Panique à Pompéi

★ N° 9 ★
Le terrible empereur de Chine

★ N° 10 ★
L'attaque des Vikings

★ N° 11 ★
Course de chars à Olympie

Prêt à suivre Tom et Léa
dans leurs dangereuses aventures ?
Bon voyage !

Résumé des tomes précédents

★ ★ ★

Après avoir récupéré pour Morgane un parchemin à Pompéi et une calligraphie en Chine, les deux héros sont en Irlande pour sauver un vieux manuscrit. Ils découvrent en haut d'une falaise un monastère où vivent des moines, et visitent une magnifique bibliothèque. Tout paraît calme… Soudain, les Vikings attaquent ! Les deux enfants emportent le manuscrit, se réfugient dans un drakkar vide. Les voilà seuls, dérivant sur des flots tumultueux. Un serpent de mer les sauve d'une noyade certaine. Espérons que leur prochaine aventure sera moins dangereuse…

La dernière mission

– Tu es réveillé ? chuchote une voix dans le noir.

– Oui, fait Tom en repoussant la couverture. Et je suis prêt !

Il saute de son lit, en jean, T-shirt et baskets.

– Tu as dormi tout habillé ? pouffe Léa. Tu es si pressé de partir en Grèce ?

– Évidemment ! Pas toi ? Tu n'as pas oublié ta carte de Maître Bibliothécaire, au moins ?

– Non, non ! Mets-la avec la tienne dans ton sac à dos. Moi, je vais tenir la lampe-torche.

Tom vérifie si son carnet et son stylo sont bien dans le sac. Il le jette sur son épaule et quitte sa chambre sur la pointe des pieds. Les enfants descendent l'escalier sans bruit pour ne pas réveiller leurs parents. Ils ouvrent la porte avec précaution. Les voilà dehors.

Il fait encore nuit ; un petit vent frais leur caresse le visage. Léa allume la torche, et une flaque de lumière jaune éclaire l'herbe humide de la pelouse.

Ils sortent du jardin, remontent la rue qui mène au bois de Belleville.

Tom est terriblement excité à l'idée de découvrir bientôt la Grèce antique. Une chose l'inquiète, pourtant. Il demande à sa sœur :

– À notre retour, que va décider Morgane ? Tu crois que c'est vraiment notre dernière mission ?

– J'espère bien que non ! Dépêchons-nous,

12

on lui posera la question !
Ils se mettent à courir et
ne ralentissent qu'en
arrivant sur le sentier
qui s'enfonce entre
les arbres. Le bois est
complètement noir.

– Heureusement que
j'ai pris la torche, dit
Léa en dirigeant le
faisceau lumineux vers
le sombre fouillis des
branches. Sinon, on
aurait du mal à retrou-
ver le grand chêne !

Enfin ils aperçoivent
l'échelle de corde.

– Montons ! s'écrie
Tom.

Ils surgissent l'un
derrière l'autre dans

la cabane par la trappe, et Léa éclaire chaque recoin à la recherche de la fée.

Morgane est assise près de la fenêtre. Elle se couvre les yeux de sa main :

– Éteins ta lampe, s'il te plaît, Léa. Tu m'éblouis.

La petite fille obéit, et la voix de la fée s'élève dans l'obscurité :

– Bienvenue, les enfants ! Êtes-vous prêts pour cette nouvelle mission ?

– Oui ! affirme Léa. Mais… est-ce que ce sera vraiment la dernière ?

– Nous en reparlerons à votre retour, répond doucement Morgane.

– C'est que… on aimerait bien continuer, ajoute Tom.

– C'est courageux de votre part ! Vous avez pris de gros risques pour me rapporter la légende d'Hercule, celle de la Tisserande et du Bouvier, et celle du Grand Serpent, je ne l'oublie pas ! Voici le titre de l'histoire que je vous envoie sauver aujourd'hui. Éclaire-moi, Léa !

La petite fille rallume la torche, qui fait briller un papier dans la main de la fée. De curieux caractères y sont tracés :

ΠΙΥΑΣΟΣ

– C'est du grec ? demande Tom.

– En effet, répond Morgane.

Elle tire alors un livre des plis de sa robe :

– Tenez ! Pour vous aider dans votre recherche !

Tom prend l'album, et ils lisent le titre : *Une journée en Grèce antique.*

– Maintenant, reprend la fée, que devez-vous toujours vous rappeler ?

– Qu'à nos heures les plus sombres, récitent les deux enfants, seule l'ancienne légende pourra nous sauver !

Morgane hoche la tête :

– Et ne montrez vos cartes de Maîtres Bibliothécaires qu'à une personne digne de confiance !

– Ne vous inquiétez pas, dit Léa. Nous avons l'habitude.

Tom pointe son doigt sur l'image de couverture, il ferme les yeux et prononce la phrase rituelle avec un frisson d'exaltation :

– Nous souhaitons être emmenés là !

– Et nous souhaitons être envoyés ensuite dans beaucoup d'autres missions ! s'empresse d'ajouter Léa.

Déjà le vent s'est mis à souffler, la cabane à tourner. Elle tourne, elle tourne plus vite, de plus en plus vite. Puis tout s'arrête, tout se tait.

Un drôle
de comédien

Tom ouvre les yeux. La chaude lumière du soleil se déverse par la fenêtre de la cabane.

– Tu as vu ? dit Léa. On porte presque les mêmes vêtements qu'à notre arrivée à Pompéi. C'est chouette, tout de même, la magie !

En effet, tous deux sont vêtus de tuniques et chaussés de sandales. À la place de son sac à dos, Tom trouve une besace de cuir accrochée à son épaule.

Léa, penchée à la fenêtre, constate :

– Et la cabane est posée en
haut d'un olivier, comme à Pompéi !
Tom la rejoint, inquiet :
– On est arrivés au bon endroit, j'espère !
– Sûrement ! Regarde, là-bas ! On dirait
une foire.
À la lisière de l'oliveraie, des tentes
blanches sont dressées. Et, un peu plus
loin, on distingue un vaste bâtiment de
brique rouge orné de colonnes. Des gens
se dirigent vers l'entrée.

– Une fête, peut-être, suppose Tom. Je vais regarder ce que dit le livre.

Il le sort de son sac, le feuillette, et tombe sur l'image qui correspond. Il lit :

**Les premiers Jeux olympiques
se sont déroulés en Grèce
il y a plus de 2 500 ans.
Ensuite, ils furent célébrés
tous les quatre ans
dans la ville d'Olympie,
en l'honneur du dieu Zeus.**

– Tu vois ! s'écrie-t-il. On est bien en Grèce !
– Super !
Tom sort son carnet et son stylo et note :

> Les Jeux olympiques
> à Olympie.

– Viens, le presse sa sœur. Allons voir !
Tom range ses affaires dans le sac et suit Léa, qui descend déjà par l'échelle de corde.
– N'oublie pas qu'on doit d'abord retrouver l'histoire pour Morgane, lui rappelle-t-il.

Les enfants traversent le petit bois d'oliviers et se dirigent vers les tentes. Ils entendent une musique de flûtes et de tambourins, et une bonne odeur de grillades leur chatouille les narines. Des groupes d'hommes discutent avec animation.

– C'est bizarre, observe Léa, je ne vois pas de filles.

– Oh, il y en a sûrement !

– Ah oui ? Tu peux m'en montrer une ?

Tom regarde mieux. En effet, il n'aperçoit que des hommes de tous âges et des jeunes garçons. Puis il remarque un théâtre en plein air. Et là, sur la scène, il y a une femme, une grande blonde masquée vêtue d'une tunique rouge.

– Là ! crie-t-il en pointant le doigt.

Un autre acteur, habillé en soldat, parle avec la femme en faisant des moulinets avec son épée. Un casque orné d'un haut plumet rouge lui couvre la tête et le visage.

– Je me demande quelle pièce ils jouent, dit Tom.

Il reprend le livre, le feuillette de nouveau et lit :

Les auteurs grecs furent les premiers à écrire des pièces de théâtre. Beaucoup de ces pièces antiques sont encore jouées aujourd'hui.

À ce moment, Léa déclare :

– Hé, non ! Ce n'est pas une femme.

– Hein ?

Tom lève le nez. L'actrice est sortie de scène, elle a enlevé son masque et sa perruque, révélant un visage… de jeune homme !

– Tu vois ! Cette fille aussi, c'est un garçon ! Moi, je trouve ça bizarre.

– Hum…, fait Tom.

Et il continue sa lecture :

**Les comédiens jouaient aussi
les rôles féminins, car le théâtre
était interdit aux femmes.**

– Ce n'est pas juste ! s'insurge Léa. Et les femmes qui avaient envie d'être comédiennes, alors ?

Tom hausse les épaules :

– Les gens avaient d'autres coutumes, en ce temps-là. Viens, allons jeter un œil aux jeux. Et après, on se met à la recherche de la légende.

Tous deux se dirigent vers l'entrée du bâtiment, quand une voix les interpelle :

– Attendez !

Un grand poëte

Ils se retournent. Un homme à barbe blanche marche vers eux.

– Bonjour, dit-il en regardant la petite fille. Qui êtes-vous ?

– Et vous ? réplique Léa, agressive.

Le barbu sourit :

– Je me nomme Platon.

– Platon ? répète Tom. Votre nom me dit quelque chose…

– Peut-être avez-vous entendu parler de moi. Je suis philosophe.

– C'est quoi, un phiso… un philosophe ?

lui demande Léa.

– Un homme qui recherche la sagesse.

– Waouh ! fait la petite fille, impressionnée.

Cela fait rire Platon. Il regarde Léa avec gentillesse et reprend :

– C'est exceptionnel de voir une demoiselle se promener si bravement à Olympie ! Je suppose que vous n'êtes pas d'ici ?

– Nous venons de Belleville, en France, explique Tom. Nous nous appelons Tom et Léa.

Le philosophe ouvre des yeux étonnés.

Léa murmure à l'oreille de son frère :

– Un homme qui cherche la sagesse, on peut lui faire confiance. On lui montre nos cartes ?

Tom approuve de la tête. Il fouille dans son sac, en tire les deux cartes de Maîtres Bibliothécaires et les tend à Platon. Les lettres d'or, M et B, scintillent à la lumière du soleil.

– Incroyable ! s'écrie le philosophe. Je n'avais encore jamais rencontré d'aussi jeunes Maîtres Bibliothécaires ! Qu'est-ce qui vous amène à Olympie ?

Tom lui montre aussitôt le papier où est écrit :

ΠΙΥΑΣΟΣ

– Nous sommes à la recherche de ce texte.

– Oh, souffle Platon, je vois ! Il a été écrit par une personne pleine de talent, que je connais bien.

– Alors, vous savez où habite ce poète ?

– Oui. Sa maison est tout près d'ici.

– Pouvez-vous nous y conduire ?

– Certainement. Mais je dois vous mettre en garde : ne révélez jamais son identité ! Son nom doit rester secret.

– On ne dira rien ! promet Léa.

– En ce cas, venez avec moi !

Platon conduit les enfants par une route poussiéreuse, où ils croisent une foule de gens se rendant aux jeux.

Bientôt, ils s'arrêtent devant une maison aux murs couleur sable. Le philosophe pousse la porte. Les enfants pénètrent derrière lui dans une cour.

– Attendez-moi ici, ordonne leur guide.

Et il disparaît dans un corridor. Pendant ce temps, Tom tire le livre de son sac pour y trouver quelques informations. Il lit :

Les maisons étaient construites
en briques séchées et couvertes
de tuiles en poterie.
Les hommes et les femmes
habitaient des pièces séparées.
Les femmes sortaient rarement
de la maison. Elles s'occupaient
de la cuisine, du linge et des enfants.
Seuls les garçons étaient envoyés
à l'école.

– Et les filles, alors ? proteste Léa. Comment apprenaient-elles à lire et à écrire ?
À cet instant, Platon réapparaît, accompagné d'une jeune femme. Celle-ci tient à la main un objet qui semble être un rouleau de parchemin.
Le visage de Léa s'éclaire : une fille, enfin !
– Tom, Léa, dit le philosophe, permettez-moi de vous présenter un grand poète !

4

Interdit aux filles !

Léa est très étonnée :

– C'est vous, le poète ? Comment avez-vous appris à lire et à écrire, si vous n'êtes jamais allée à l'école ?

– J'ai appris toute seule, répond la jeune femme.

Platon explique :

– Comme j'affirme que les filles devraient être instruites de la même façon que les garçons, elle m'a apporté un poème qu'elle avait écrit en cachette. C'est un très beau texte. Mais si quelqu'un apprend qu'elle en est l'auteur, elle aura de graves ennuis. Elle préfère que vous l'emportiez dans votre pays.

La jeune femme tend le rouleau à Tom. Il le prend, très ému, et le met dans son sac.

– Dites-nous votre nom, demande Léa. Là où nous allons, nous pourrons le faire connaître à tout le monde.

La poétesse secoue la tête :

– Non, vraiment, c'est impossible.

Devant l'air attristé de Léa, elle ajoute :

– Vous n'aurez qu'à signer mon poème par « Anonyme ».

– C'est un faux nom, alors ? suppose Tom.

– « Anonyme », explique Platon, cela

signifie qu'on ignore qui est l'auteur.

– Mais ce n'est pas vrai ! s'écrie Léa, scandalisée.

La poétesse lui sourit :

– Je suis heureuse que vous emportiez mon poème dans votre pays. Un jour, peut-être, les femmes auront le droit d'écrire, tout comme les hommes.

– Elles l'auront, soyez tranquille ! lui assure Tom.

– Ça, oui, elles l'auront ! renchérit Léa.

– Merci ! dit la jeune femme en s'inclinant. Merci beaucoup !

Et elle disparaît dans la maison. Platon se tourne vers les enfants :

– Les jeux vont bientôt commencer. Il est temps de remonter vers le stade.

Les jeux ! Voilà qui intéresse particulièrement Tom !

Tous trois reprennent la route dans l'autre sens. Léa n'arrête pas de grommeler :

– Pas le droit d'aller à l'école, pas le droit de faire du théâtre, pas le droit de sortir de la maison ! J'en ai assez, de la Grèce antique, moi ! On a trouvé le poème pour Morgane, on n'a qu'à repartir tout de suite !

– On regarde un peu les jeux, et après, on rentre, promet Tom.

– J'ai des places réservées, déclare Platon.

Je vous aurais bien emmenés tous les deux, mais…

Il jette un coup d'œil embarrassé à Léa.

– Mais les filles n'ont pas le droit d'assister aux jeux, c'est ça ? s'emporte-t-elle.

Le philosophe hoche la tête :

– Je suis vraiment désolé. Mon pays est une démocratie. Cela signifie que tous les citoyens y ont les mêmes droits. Seulement… les femmes ne sont pas considérées comme des citoyens. Une femme surprise dans le stade pourrait être condamnée à mort !

– N'importe quoi ! s'exclame Léa.

– C'est vrai, dit Tom, ce n'est pas juste. Nous allons rentrer chez nous.

La petite fille hausse les épaules :

– Non, va voir les jeux, toi ! Je regarderai les pièces de théâtre pendant ce temps-là. Je t'attends là-bas, d'accord ? Au revoir, monsieur Platon ! Et merci !

Elle s'éloigne en faisant un signe de la main.

Tom est embêté de laisser sa sœur toute seule. Mais il a tellement envie d'assister aux jeux ! Il lance :

– Je ne resterai pas longtemps ! Et je te raconterai tout, promis !

Puis il suit Platon vers l'entrée du stade.

5

Le temple de Zeus

– Aujourd'hui, explique Platon, il y aura une course de chars.

– Wouah ! souffle Tom.

Platon désigne un vaste bâtiment :

– Voici le gymnase où les athlètes s'entraînent.

– On a un gymnase, nous aussi, dans notre ville, dit Tom. Mais pas si grand !

Tout en marchant, il tire son carnet de son sac et note :

Les anciens Grecs faisaient beaucoup de gymnastique.

– L'olivier est notre arbre sacré, continue Platon. Les vainqueurs reçoivent une couronne faite de branches tressées.

Tom s'empresse de noter :

Couronnes d'olivier
pour les vainqueurs.

Ils passent ensuite devant une grande statue représentant une femme ailée.

– Voici Nikê, la déesse de la victoire, dit Platon.

Tom inscrit aussitôt ce nom dans son carnet.

– Mais le plus puissant de tous nos dieux est ici, conclut Platon.

Il conduit Tom vers un temple colossal orné de colonnes de marbre. Les sculptures qui ornent le fronton représentent des combattants. Certains guerriers ont des corps de chevaux, mais des torses et des têtes d'hommes.

« Ah oui, se souvient Tom. Des centaures ! »
Ils entrent. Devant eux se dresse la plus gigantesque statue que le garçon ait jamais vue. Haute comme trois étages, elle étincelle dans la pénombre. Elle représente un homme barbu assis sur un trône.

– Nous voici dans le temple de Zeus, dit Platon. Les jeux sont célébrés en son honneur. Hier, tous les athlètes ont défilé devant lui et ont juré solennellement de respecter les règles des jeux.

Tom se sent bien petit devant l'énorme personnage ! Pendant que Platon se recueille devant la divinité, il sort son livre, le feuillette et trouve cette explication :

Le temple de Zeus était l'édifice le plus important d'Olympie. À l'intérieur se trouvait une statue de 13 mètres de haut, en or et en ivoire. C'était l'une des sept merveilles du monde.

Soudain, des acclamations éclatent au-dehors.

– C'est l'heure, dit Platon. Dépêchons-nous, la parade va commencer !

6

Un mystérieux soldat

Tom et le philosophe entrent dans le stade en passant sous des arcades.

Puis ils se fraient un chemin à travers la foule excitée qui escalade les gradins.

– Ce stade peut contenir quarante mille spectateurs, dit Platon. Heureusement, j'ai des sièges réservés, tout près de ceux des juges. Nous serons très bien placés.

Enfin ils réussissent à échapper à la bousculade et à s'asseoir.

– Ouf ! fait Tom. Merci !

D'où il est, il a une vue parfaite sur la piste.

La parade olympique a commencé. En tête marchent des musiciens qui font résonner des cymbales et soufflent dans de curieuses flûtes.

Tom feuillette son livre
discrètement et lit :

Un instrument très
populaire en Grèce,
une sorte de flûte
à deux tubes,
s'appelait la diaule.
L'un des tubes donnait
la mélodie, l'autre
amplifiait le son.

Derrière les musiciens défilent les athlètes,
les meilleurs de toute la Grèce !
« Dommage que Léa ne puisse pas voir ça,
pense Tom. Elle aurait adoré ! »
Platon commente :
– En tête, ce sont les coureurs.

– Des coureurs ? s'étonne Tom. Mais ils sont en armure !

– Oui, oui ! C'est un bon entraînement, de courir en armure ! Le sport sert aussi à garder les soldats en bonne forme pour la bataille.

Tom note aussitôt sur son carnet :

Des coureurs en armure

Platon poursuit :

– Et voilà les boxeurs, avec leurs gants
spéciaux et leurs casques de bronze ! Puis
viennent les lutteurs. Nous avons une
épreuve, appelée pugilat, où tous les
coups sont permis, sauf mordre et crever
les yeux de son adversaire.

– Wouah ! souffle Tom, impressionné.

Il s'empresse de noter :

Interdit de mordre
et de crever les yeux !

Quand il relève la tête, son regard est
attiré par un drôle de soldat. Debout sur
le bord de la piste, il semble surveiller le
défilé. Il est enveloppé d'une longue cape,

et on ne voit pas son visage, car il porte le même genre de casque que l'acteur qu'ils ont vu tout à l'heure. Mais le plus étrange, c'est qu'il est vraiment petit pour un soldat.

– Voici les lanceurs de disque et de javelot, continue Platon.

Mais Tom ne l'écoute plus.

Il a l'impression que le drôle de soldat l'observe, de derrière son casque.

Soudain, une main sort des plis de la cape et s'agite comme pour lui faire signe. Cette main… c'est une main de fille ! Ce petit soldat, c'est Léa !

Capturée !

Tom n'en croit pas ses yeux.

Cette Léa ! Elle n'en fait qu'à sa tête ! Elle a emprunté un costume de théâtre ! Elle n'a donc pas entendu ce que disait Platon ? Elle a déjà oublié ce qui peut arriver à une femme surprise dans le stade ?

Tom remue son index pour essayer de lui faire comprendre : « Sors de là tout de suite ! »

Léa ne bouge pas. Il est sûr qu'elle rit, derrière son casque !

Tom fait non de la tête, il montre le poing.

Mais sa sœur ne s'intéresse plus du tout à lui. Elle s'est tournée vers la piste pour profiter du spectacle. Le défilé des athlètes est terminé. La course de chars va commencer.

– C'est sérieux ! crie Tom, affolé.

– Absolument ! approuve Platon. Nous prenons tous les jeux très au sérieux.

– Je… euh, oui ! Moi aussi ! bafouille Tom.

Une sonnerie de trompe se fait entendre. À l'extrémité du stade, une dizaine de chars tirés par quatre chevaux finissent de s'aligner.

Enfin le signal est donné, les attelages s'élancent au grand galop. Un hurlement d'enthousiasme sort de milliers de bouches. Les roues des chars et les sabots des chevaux soulèvent des nuées de poussière. C'est formidable !

Pendant quelques instants, Tom est si fasciné par le spectacle qu'il en oublie le danger

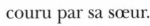

couru par sa sœur.

Puis il se penche pour regarder ce qu'elle fait. Elle trépigne sur place en levant les bras, tant elle est excitée.

Sa cape glisse.

Tom s'aperçoit alors avec horreur que des juges ont repéré l'étrange petit soldat. Ils le désignent du doigt et discutent entre eux d'un air fâché.

Il n'y a pas de temps à perdre ! Tom doit sortir sa sœur de là avant qu'il ne soit trop tard ! Il range en vitesse ses affaires dans son sac et lance à Platon :

– Il faut que j'y aille, excusez-moi !

Le philosophe le regarde, étonné.

– C'était super, merci beaucoup, enchaîne Tom. Seulement, je… je dois aller chercher ma sœur pour… euh, pour rentrer chez nous ! Merci encore, et au revoir !

Il ne peut vraiment pas expliquer à ce monsieur si aimable que sa sœur n'a pas respecté les règles ! Le philosophe a l'air un peu déçu, il dit gentiment :

– Alors, bon voyage ! Je compte sur vous pour faire connaître dans votre pays le poème de mon amie !

– Oui, oui ! C'est promis !

Tom dévale les marches, suit un passage voûté. Au moment où il surgit sur la piste, Léa enlève son casque. Sans doute commençait-elle à avoir trop chaud, là-dessous !

– Léa ! crie Tom. Remets ça sur ta tête ! Vite !

Des tas de gens désignent maintenant cette petite fille qui sautille en agitant les bras et en faisant danser sa queue de che-val ! Des soldats – des vrais ! – accourent. Léa est si occupée à encourager les concurrents qu'elle ne s'aperçoit de rien. Tom se précipite vers elle.

Trop tard ! Deux soldats ont attrapé sa sœur chacun par un bras.

Il faut sauver Léa !

Léa ouvre d'abord des yeux stupéfaits.
Puis elle se débat, donne des coups de
pieds, hurle :

– Lâchez-moi ! Vous n'avez pas le droit !

Les soldats ont bien du mal à la maintenir.

Tom court vers eux en criant :

– Laissez-la tranquille ! C'est ma sœur !
On s'en va tout de suite !

Mais sa voix se perd dans le vacarme de la
course.

Enfin il les rejoint. Il saisit Léa par sa
tunique et tire de toutes ses forces :

– Laissez-la, je vous dis ! Je la ramène à la maison, je vous le promets !

Mais les soldats ne lâchent pas prise. Par l'ouverture de leurs casques, Tom voit leurs yeux briller de fureur. D'autres soldats arrivent à la rescousse, tandis que des voix scandalisées s'élèvent du public :

– Arrêtez-les ! Arrêtez-les !

– Tom ! crie Léa, affolée. La légende ! Le poème de la dame ! Vite !

« Pas de doute ! pense Tom. On est dans notre heure la plus sombre ! »

Il fouille dans son sac, en tire le rouleau de la poétesse. Il le brandit et crie :

– Sauve Léa, histoire ! Sauve-nous tous les deux !

Des chars lancés à un train d'enfer passent devant eux dans un nuage de poussière, et la voix de Tom se perd encore une fois dans le vacarme des roues et les hurlements de la foule. Le garçon regarde autour de lui, attendant désespérément que quelque chose survienne. Et, soudain, la clameur cesse, un silence étonnant se fait. Toutes les têtes se tournent vers une incroyable apparition : un cheval d'une blancheur éblouissante, dont les sabots semblent à peine toucher le sol. C'est un animal prodigieux, Tom n'en a jamais vu de pareil. Il est attelé à un chariot léger que personne ne conduit. Et il galope droit vers les enfants !

Le cheval s'arrête, hennit et se cabre. Il menace de ses sabots les soldats, médusés.

– Il vient nous chercher ! s'écrie Léa.

Profitant de la stupeur des soldats, Léa se dégage, court vers Tom, l'attrape par la main et l'entraîne vers le char.

Les soldats s'élancent derrière les fuyards. Mais Tom et Léa ont déjà sauté dans le léger véhicule. La petite fille lance à pleine voix :

– Hue !

Le cheval hennit de nouveau, il frappe le sol de ses sabots. Effrayés, les soldats reculent. La foule retient son souffle.

Tom lève les yeux vers Platon. Le philosophe lui sourit et agite la main en signe d'au revoir. Tom le salue en retour.

Puis le cheval part au galop, entraînant le chariot derrière lui.

Un cheval ailé

Les enfants se cramponnent au char pour ne pas tomber. Ils traversent à une vitesse inimaginable la piste de l'hippodrome, tandis qu'une immense clameur monte derrière eux. Tous les spectateurs, debout sur les gradins, les applaudissent comme s'ils étaient des champions ou des héros.

Où le cheval les emporte-t-il ? Ils n'en savent rien, mais ils lui font confiance. N'ont-ils pas été sauvés, au cours de leur aventure précédente, par un serpent géant ? Eh bien, cette fois, c'est un cheval !

Soudain, les cahots cessent, le vent leur siffle aux oreilles. Ils ne voient plus autour d'eux que le bleu du ciel, et de petits nuages blancs qui semblent nager à leur rencontre. Tom remonte ses lunettes sur

son nez et gémit :

– Au secours !

– Incroyable ! s'exclame Léa.

Deux ailes gigantesques se sont déployées
sur le dos du cheval. Elles battent avec

lenteur, tandis que la merveil-
leuse créature emporte le
chariot dans les airs. Tom
s'accroche de toutes ses
forces et ferme les yeux
pour ne pas avoir le vertige.
Léa éclate de rire et s'écrie :
– À la cabane magique,
cheval !
Au-dessous d'eux, très loin,
la ville d'Olympie, avec son
temple, ses statues, son
gymnase, paraît minuscule.
Le cheval décrit un grand
arc de cercle et redescend
vers la colline plantée
d'oliviers. Tom et Léa
reconnaissent la route
qu'ils ont suivie avec le philosophe, et la maison de
la poétesse. Enfin le cheval

atterrit au pied de l'olivier sur lequel la cabane magique est posée. Les roues du chariot rebondissent sur l'herbe. Puis le véhicule s'arrête.

Les enfants descendent. Tom a les jambes si flageolantes que c'est à peine s'il peut marcher.

Léa caresse le museau de l'animal et lui chuchote à l'oreille :

– Merci, gentil cheval !

Tom lui flatte l'encolure et dit à son tour :

– Oui, merci ! C'était la plus belle promenade de ma vie !

– Je voudrais bien te garder, tu sais, dit Léa à la créature ailée. Tu es le plus beau cheval du monde !

Le cheval souffle par ses naseaux. À petits coups de tête, il pousse gentiment la fillette vers l'olivier.

Tom prend la main de Léa.

– Viens, dit-il.

Léa empoigne l'échelle de corde et se met à grimper. Tom la suit.

Dès qu'elle est arrivée dans la cabane, Léa court à la fenêtre, tandis que Tom prend

le livre avec les photos de leur bois. Il pose
le doigt sur l'image et commence :

– Nous désirons…

– Hé ! l'interrompt Léa. Viens voir !

Tom rejoint sa sœur à la fenêtre, juste à temps pour voir le cheval déployer de nouveau ses grandes ailes blanches et s'élever dans le ciel bleu d'Olympie. Puis l'animal disparaît au milieu des nuages.

– Au revoir, murmure Léa, une larme roulant sur sa joue.

Tom reprend le livre, il ferme les yeux et récite :

– Nous souhaitons être ramenés ici !

Le vent se met à souffler, la cabane à tourner. Elle tourne plus vite, de plus en plus vite. Puis elle s'arrête. Le voyage est terminé.

Des étoiles
dans le ciel

Tom rouvre les yeux. Il fait nuit noire, on n'y voit rien.

Il tâte ses vêtements, reconnaît son jean et son T-shirt. Il a ses baskets aux pieds, et son sac à dos est posé par terre, à côté de lui.

– Bonjour, les enfants ! les accueille la voix de la fée.

– Salut, Morgane ! répond Léa. On est de retour.

– Votre voyage s'est bien passé ?

– C'était génial ! s'écrie Tom. Enfin… pour moi. Parce que, pour Léa…

– Ça, intervient la petite fille, je n'aurais pas aimé vivre en Grèce dans l'antiquité ! Les femmes n'avaient le droit de rien faire ! Mais je me suis déguisée en soldat, et j'ai quand même vu une course de chars. Et après, Tom et moi, on est monté dans un chariot tiré par un cheval volant !

– Ce devait être merveilleux, dit la fée. Vous avez donc pu me rapporter la très ancienne légende de Pégase ?

– De qui ? demande Tom.

– Pégase, reprend Morgane, le grand cheval ailé.

– Oh ! fait Léa.

– Bien sûr ! s'écrie Tom. J'aurais dû le reconnaître ! J'ai lu son histoire dans un livre de contes.

Il ouvre son sac, en tire le rouleau de parchemin et le tend à la fée, dont il distingue à peine la silhouette dans l'obscurité.

– C'est un poème, explique Léa. On a rencontré la dame qui l'a écrit, mais elle n'a pas voulu nous dire son nom. Elle a dit qu'il fallait signer : Anonyme.

– Je sais. À cette époque, beaucoup de femmes pleines de talent signaient ainsi. Ce poème sera un des ouvrages les plus précieux de ma bibliothèque !

– Platon nous a bien aidés, raconte Tom. Il connaissait cette poétesse.

– Ah, mon cher ami Platon ! s'exclame la fée. Il a été un des plus grands penseurs de son temps !

– Et Pégase est le plus beau des chevaux ! soupire Léa. Je voudrais bien le revoir !

– Tu le reverras, sourit la fée. Cette nuit même !

– Pégase ? Il est là ? Où ça ?

La petite fille cherche la lampe torche à tâtons, la retrouve à côté d'une pile de livres. Elle l'allume, court vers la trappe, descend aussi vite qu'elle peut par l'échelle de corde en appelant :

– Pégase ? Tu es là, mon beau cheval ?

Tom ramasse son sac à dos et suit sa sœur. Arrivée au pied du chêne, Léa éclaire les troncs, les buissons, s'attendant à chaque instant à voir surgir dans le faisceau de la torche une grande silhouette blanche.

– Tu le vois ? demande Tom.

– Éteins ta lampe, Léa, ordonne alors la voix de la fée.

Morgane est penchée à la fenêtre de la cabane. Elle explique :

– Tous les personnages des histoires que vous avez sauvées sont là, dans la nuit : Hercule, la Tisserande et le Bouvier, le Grand Serpent et Pégase, le cheval ailé. Mais pour les voir, il faut d'abord éteindre la lampe.

Léa appuie sur l'interrupteur. Elle fouille l'obscurité du regard :

– Où sont-ils, Morgane ? Où est Pégase ?

– Regarde mieux !

– Je ne vois rien !

– Tu n'as qu'à lever les yeux !

« Mais qu'est-ce qu'elle raconte, Morgane ? » pense Tom.

– Levez les yeux, tous les deux ! Vous les verrez briller dans la nuit. Ce sont des étoiles !

– Des étoiles ? s'exclame Tom.

– Hercule est une constellation, explique Morgane. Les Romains l'imaginaient agenouillé, levant sa massue au-dessus de sa tête.

La fée tend le doigt vers le ciel, et, l'espace d'un instant, Tom croit voir la silhouette du géant se dessiner en points lumineux.

– Voici la Tisserande, avec son Bouvier bien-aimé !

– Oui ! s'écrie Léa. Vous nous avez raconté leur histoire à notre retour de Chine. La Tisserande, c'est l'étoile Véga.

– Et le Bouvier, il attelle sa charrue au chariot de la Grande Ourse ! se souvient Tom. Mais le Grand Serpent, c'est une étoile, lui aussi ?

– Il existe une constellation du Serpent, en effet ! Peut-être un cousin céleste du Grand Serpent marin de la légende irlandaise… Quant à Pégase, c'est le nom que les anciens Grecs ont donné à une constellation d'étoiles très brillantes, qui a un peu la forme d'un cheval. Regardez !

Et, soudain, le merveilleux cheval blanc apparaît dans le ciel, les ailes déployées. Les enfants clignent des yeux, éblouis.

– Tu es le plus beau, Pégase ! murmure Léa.

La vision s'est déjà effacée. Le ciel nocturne n'est plus qu'un immense champ noir, piqueté de minuscules lumières.

La voix de Morgane résonne doucement dans le silence :

– Vous avez accompli un excellent travail, les enfants. Merci ! Vous êtes vraiment dignes d'être des maîtres bibliothécaires.

– Est-ce que nous aurons d'autres missions, Morgane ? demande Tom.

– Oh, Morgane, dites oui ! supplie Léa.

– Je vous promets d'y réfléchir, répond la fée. Rentrez chez vous, maintenant, et prenez un peu de repos. Vous l'avez bien mérité.

– Au revoir, Morgane ! dit Léa.

– Au revoir ! répète Tom.

– Au revoir, les enfants !

Une rafale de vent secoue soudain les branches des arbres, un grand éclair blanc traverse le ciel.

La cabane magique vient de disparaître, emportant la fée et tous ses livres.

– On rentre ? soupire Léa.

– Allons-y, dit Tom.

La petite fille rallume la torche, et tous deux marchent un moment sans parler.

Puis Tom murmure :

– Tu entends ?

– Quoi donc ?

– Ce bruit ! On dirait…

Léa hausse les épaules :

– C'est le vent dans les feuilles.

– Oui, tu as raison.

Mais ce que Tom a entendu ressemblait fort à un battement d'ailes !

Fin

★ ★ ★ ★ ★ ★ ★ ★ ★ ★

Tu peux suivre

de nouvelles aventures
de Tom et Léa

au fil de quatre autres volumes,

★ ★ ★ ★ ★ ★ ★ ★ ★ ★

Si tu as envie de nous donner
tes impressions sur la série
ou nous parler de **tes propres voyages,**
réels ou imaginaires,
n'hésite pas à nous écrire !

Bayard Éditions Jeunesse
Série Cabane Magique
3, rue Bayard
75008 Paris

N'oublie pas d'écrire
ton nom et ton adresse sur la lettre !